imagina

UNA NOCHE

¡ imagi

SARAH L. THOMSON

Ilustraciones de ROB GONSALVES

Na UNA NOCHE

Editorial Juventud

Imagina que una noche...

... surgen de la nieve fría y crujiente

unos lechos blancos

y alguien te susurra «Sígueme».

Imagina
que una noche …

… no consigues dormir,

y saltas tan alto que te elevas

sobre una colcha

de campos y bosques.

Imagina que una noche...

... resuena un silbido

en un pasillo vacío,

y una voz llama «¡Todos al tren!»

No hace falta billete

para viajar a un lugar

que nadie conoce.

Imagina
que una noche...

... puedes oír —¡escucha!—

un granjero que toca

para arrullar sus campos:

una nana para una hoja, un tronco,

y una raíz adormecida.

Imagina que una noche...

... la oscuridad

del campo y del lago

es demasiado quieta y profunda,

y la recortas y coses una ciudad

en el cielo estrellado.

Imagina
que una noche ...

... el resplandor de la luna

cobra forma y figura,

y miras por encima del hombro

y ves que no estás solo.

Imagina
que una noche...

... las llamas de las velas

se elevan como mariposas

para saludar a las estrellas solitarias.

Imagina que una noche...

... la luz de la luna

se derrama en el agua

y dibuja un sendero

para los pies más ligeros.

Imagina
que una noche...

... la oscuridad del terciopelo

cuelga de cada ventana,

y nuestros sueños nunca acaban.

Imagina
que una noche...

... haces una última carrera;

las colinas se vuelven empinadas

y tus ruedas se convierten en alas.

Imagina que una noche...

... el espacio entre las palabras

es como el espacio entre los árboles:

lo bastante ancho

para dar un paseo entre ellos.

La autora se ha inspirado en los siguientes cuadros,
que han despertado su imaginación…

En la Aurora

Claustro alumbrado a la luz de las velas

Fría comodidad

Aviación a la hora de dormir

La casa en ferrocarril

Campos escuchando

Un cambio de paisaje

Claro de luna medieval

Con amor para Lise,
mi pareja en este baile mágico.
R. G.

Para Julian. No dejes de imaginar.
S. L. T

En bicicleta por la noche

Estrellas caídas

Damas del Lago

Proyecciones astrales

Nueva eclipse lunar

Deslizándose

Bosque adentro

Manto blanco

Para saber más sobre la obra de Rob Gonsalves o para ver su obra,
puedes visitar la página web www.discoverygalleries.com

Título original: IMAGINE A NIGHT
© del texto: Sarah L. Thomson, 2005
© de las ilustraciones: Rob Gonsalves, 2005

Publicado con el acuerdo de Simon and Schuster Inc,
un sello de Simon and Schuster Children's Book Division,
Nueva York.

Prohibida la reproducción, la transmisión total o parcial
de este libro bajo cualquier forma ni por ningún medio,
electrónico ni mecánico (fotocopia, registro o cualquier tipo
de almacenamiento de información o sistema de reproducción),
sin el permiso escrito de los titulares del copyright.

© de la traducción española:
EDITORIAL JUVENTUD, S. A, 2007
Provença, 101 - 08029 Barcelona
info@editorialjuventud.es
www.editorialjuventud.es
Traducción: Élodie Bourgeois Bertín
Primera edición, 2007
Depósito legal: B. 18.000-2007
Núm. de edición de E. J.: 10.957
GRAFO, Avda. Cervantes, 51 - 48970 Basauri, Bizkaia

ISBN: 978-84-261-3626-5   Printed in Spain